# LE  VAMPIRE
# DE  ROPRAZ

# DU MÊME AUTEUR

*Aux Éditions Bernard Grasset*

CARABAS, *récit*, 1971.
L'OGRE, *roman*, Prix Goncourt 1973 (Les Cahiers Rouges).
L'ARDENT ROYAUME, *roman*, 1975 (Livre de Poche).
LE SÉJOUR DES MORTS, *nouvelles*, 1977.
LES YEUX JAUNES, *roman*, 1979 (Livre de Poche).
OÙ VONT MOURIR LES OISEAUX, *nouvelles*, 1980.
JUDAS LE TRANSPARENT, *roman*, 1982 (Livre de Poche).
LE CALVINISTE, *poèmes*, 1983.
JONAS, *roman*, 1987 (Livre de Poche).
COMME L'OS, *poèmes*, 1988.
MORGANE MADRIGAL, *roman*, 1990 (Livre de Poche).
FLAUBERT OU LE DÉSERT EN ABÎME, *essai*, 1991.
LA TRINITÉ, *roman*, 1992 (Livre de Poche).
LE RÊVE DE VOLTAIRE, *récit*, 1995 (Livre de Poche).
LA MORT D'UN JUSTE, *roman*, 1996.
L'IMITATION, *roman*, 1998 (Livre de Poche).
INCARNATA, *récit*, 1999.
SOSIE D'UN SAINT, *nouvelles*, 2000 (Livre de Poche).
MONSIEUR, 2001 (Livre de Poche).
LE DÉSIR DE LA NEIGE, *poèmes*, 2002.
LES TÊTES, 2003.
L'ÉCONOMIE DU CIEL, *roman*, 2003.
L'ÉTERNEL SENTIT UNE ODEUR AGRÉABLE, *roman*, 2004.
ALLEGRIA, *poèmes*, 2005.
LE DÉSIR DE DIEU, 2005.
AVANT LE MATIN, roman, 2006.

*Suite en fin de volume*

JACQUES CHESSEX

# LE VAMPIRE DE ROPRAZ

*roman*

BERNARD GRASSET
PARIS

ISBN : 978-2-246-70401-0

Une petite fille morte dit :
Je suis celle qui pouffe d'horreur
dans les poumons de la vivante.
Qu'on m'enlève tout de suite de là.

Antonin ARTAUD
*Suppôts et suppliciations*

Ne sont pas éligibles : les citoyens
interdits pour cause de maladie mentale
ou de faiblesse d'esprit.

AVIS À LA POPULATION
Commune de Ropraz
12 janvier 2006

## Avant-propos

*Quand je suis venu habiter Ropraz, en mai 1978, la tombe de Rosa Gilliéron était encore intacte dans l'allée du cimetière que longe le chemin de ma maison. C'était une dalle de grès sur laquelle se dressait une colonnette en marbre blanc cernée de roses en cuivre noirci, qui portait le nom et les dates de la morte. La petite colonne était tronquée, pour montrer la brièveté d'une vie trop tôt interrompue, désormais tragique, dans la fleur de la pure promesse.*

*La tombe de Rosa a été désaffectée il y a dix ans, lors du réaménagement du cimetière.*

# I

Ropraz, dans le Haut-Jorat vaudois, 1903.
C'est un pays de loups et d'abandon au
début du vingtième siècle, mal desservi par
les transports publics à deux heures de Lausanne, perché sur une haute côte au-dessus
de la route de Berne bordée d'opaques forêts
de sapins. Habitations souvent disséminées
dans des déserts cernés d'arbres sombres, villages étroits aux maisons basses. Les idées ne
circulent pas, la tradition pèse, l'hygiène
moderne est inconnue. Avarice, cruauté,
superstition, on n'est pas loin de la frontière
de Fribourg où foisonne la sorcellerie. On
se pend beaucoup, dans les fermes du
Haut-Jorat. A la grange. Aux poutres faî-

tières. On garde une arme chargée à l'écurie ou à la cave. Sous prétexte de chasse ou de braconne on choie poudre, chevrotine, gros pièges à dents de fer, lames affûtées à la meule à faux. La peur qui rôde. A la nuit on dit les prières de conjuration ou d'exorcisme. On est durement protestants mais on se signe à l'apparition des monstres que dessine le brouillard. Avec la neige, le loup revient. Il n'y a pas si longtemps qu'on a tué le dernier, en 1881, sa dépouille empaillée s'empoussière à douze kilomètres dans une vitrine du musée du Vieux-Moudon. Et l'horrible ours venu du Jura. Il a éventré des génisses il n'y a pas quarante ans dans les gorges de la Mérine. Les vieux s'en souviennent, ils ne rient pas à Ropraz ni à Ussières. Au temps de Voltaire, qui a habité le château d'en bas, au hameau d'Ussières, les brigands *attendaient* sur la route principale, celle de Berne, des Allemagnes, plus tard les soldats revenus des guerres de la Grande Armée rançonnaient les honnêtes gens. On fait très attention quand on engage un trimardeur pour la moisson ou la pomme de terre. C'est l'étranger, le fouineur, le voleur. Anneau à l'oreille, sournois, le laguiole glissé dans la botte.

Ici on n'a pas de grands commerces, d'usines, de manufactures, on n'a que ce qu'on gagne de la terre, autant dire rien. Ce n'est pas une vie. On est même si pauvres qu'on vend nos vaches pour la viande aux bouchers des grandes villes, on se contente du cochon et on en mange tellement sous toutes ses formes, fumé, écouenné, haché, salé, qu'on finit par lui ressembler, figure rose, hure rougie, loin du monde, par combes noires et forêts.

Dans ces campagnes perdues une jeune fille est une étoile qui aimante les folies. Inceste et rumination, dans l'ombre célibataire, de la part charnelle à jamais convoitée et interdite.

La misère sexuelle, comme on la nommera plus tard, s'ajoute aux rôderies de la peur et de l'imagination du mal. Solitaire, on surveille la nuit, ébats d'amour de quelques nantis et de leur râlante complice, frôlements du diable, culpabilité vrillée dans quatre siècles de calvinisme imposé. Sans répit déchiffrer la menace venue du fond de soi et du dehors, de la forêt, du toit qui craque, du vent qui pleure ; de l'au-delà, d'en haut, de dessous, d'en bas : la menace venue d'ailleurs. On se barricade dans son crâne, son sommeil, son cœur, ses sens, on se verrouille dans sa ferme, le fusil prêt, l'âme hantée et affamée. L'hiver attise ces violences sous la longue neige amie des fous, les ciels rouges et bistre entre aube et nuit déshéritée, le froid et la mélancolie qui tend et ronge les nerfs. Ah j'oubliais l'effarante beauté des lieux. Et la pleine lune. Et les nuits de pleine lune, les prières et les rituels, les couennes de lard frottées sur les verrues et les plaies, les potions noires contre la grossesse, les rituels avec des poupées de bois mal dégrossi crevé d'épingles, martyrisé, et les sorts jetés par des fourbes, les prières pour la tache des yeux. On retrouve encore aujourd'hui dans les greniers, les appentis, des grimoires et des recettes de décoction de sang menstruel, de vomi, de bave de crapaud et de vipère pilée. *Quand la lune éclaire trop, garde-toi de bric et de brac. Quand la lune arrive tôt, garde le serpent au sac.* La folie gagne. Et la peur. Qui a glissé dans la soupente? Qui a marché sur le toit? *Veille sur ta poudre et ta fourche, avant le secret des gouffres!*

## II

Février 1903. Le début de l'année a été très froid, la neige tient sur Ropraz, qui paraît encore plus tassé, et oublié, sur son plateau battu des vents. Depuis le 1er février la neige tombe sans discontinuer. Une neige lourde, mouillée, sur le ciel sombre, et le village n'a pas été épargné depuis quelque temps. Routes coupées, les fièvres, plusieurs vaches ont mal vêlé, et le 17, un mardi, la jeune Rosa, grande fleur fraîche, vingt ans, la peau claire, de grands yeux, de longs cheveux châtains, est morte de la méningite dans la ferme de son père, M. Emile Gilliéron, juge de paix et député au Grand Conseil. C'est un homme considérable, sévère, avisé, généreux. Il a du bien, beaucoup de terre à la ronde, et la souple beauté de sa fille a fait des troubles puissants. De plus elle est bonne chanteuse, dévouée aux malades, active paroissienne à l'église mère de Mézières... Des gens rares, comme on voit. Et qui étonnent devant la laideur, le vice, la ladrerie ambiante.

La mort de Rosa a terriblement ému tout le pays. A l'enterrement, jeudi 19 février, au cimetière de Ropraz, ils sont venus des villages lointains, des bourgs, des hameaux, des crêtes perdues. En char, à cheval, raquettes aux pieds, hommes et femmes si nombreux, plusieurs centaines, que malgré le froid la chapelle est restée ouverte pendant tout l'office, et de la chapelle au cimetière le cortège a duré plus d'une heure au tintement continu de la cloche des morts.

Pour loger sa dernière pensionnaire, toute la journée de mercredi, le fossoyeur Cosandey a dû creuser dans le sol gelé. Besogne accomplie. Au milieu de l'après-midi de jeudi, Rosa Gilliéron est enterrée sur le flanc sud-est, aux deux tiers du cimetière qui s'allonge solitairement entre la forêt très épaisse et un vaste vallonnement désert sur quoi crient les corneilles. Le cercueil refermé, la dernière poignée de terre gelée projetée dûment sur le bois sourd, Cosandey n'a même pas besoin de ramener la neige sur le petit emplacement. Après l'accalmie qui a permis au cortège de suivre pas à pas le corbillard, la neige s'est remise à tomber au moment de la dernière prière, après le dernier chant des enfants et la bénédiction du pasteur Béranger, venu spécialement de Mézières. La neige qui recouvre le sol noir du vieil hiver et qui berce doucement les trépassés, assure-t-on, dans leur repos éternel.

Après l'inhumation de sa fille, Gilliéron a prévu une collation à la Grande Salle. Ainsi nomme-t-on le local des fêtes et des solennités officielles. Puis c'est le soir, les dernières poignées de mains, les accolades, les routes se vident, les chemins de terre, et la longue nuit commence sur les campagnes désolées.

Vendredi 20, neige et immobilité. On peut croire que la mort de Rosa et l'ample cérémonie au cimetière ont assommé les esprits et étourdi le paysage dans une silencieuse hébétude.

# III

Mais voilà le samedi 21. Ce matin-là, très tôt à l'aube, François Rod, qui habite les hauts de Ropraz au lieu-dit Vers-chez-les-Rod, a décidé de « faire du bois » dans la forêt vallonnée qui jouxte le cimetière en contrebas. Son fils Hermann l'accompagne et mène le lourd char à bœufs des laitiers et des bûcherons. Il est sept heures trente. Le jour se lève lentement sur les campagnes enneigées. Le chemin du Bois des Tailles longe étroitement le cimetière. Arrivé à la grille de l'enclos, François arrête l'attelage, ordonne à son fils de l'attendre, pénètre dans le cimetière où il veut se recueillir sur la tombe toute neuve de Rosa. Il fait quelques pas dans l'allée et aussitôt pousse un grand cri : la fosse de Rosa est ouverte, et le cercueil est à nu. Soixante-dix ans plus tard le vieil Hermann se souviendra du cri de son père : «comme s'il avait vu le démon», dira-t-il en tremblant, le regard rougi, à cette énorme distance les yeux encore éraillés de peur.

Sur le char Hermann s'est figé, François ressort en titubant de l'enclos, ne referme même pas la grille, tombe dans la neige, se relève, tombe encore, finalement se fraie un passage jusqu'à l'auberge Cavin. Surgissent Cavin, la mère Cavin, et le fossoyeur Cosandey.

On retourne au cimetière. La lumière est maintenant nette, et d'une blancheur écœurante. Autour de la tombe ouverte il y a des pas, — tout le sol est piétiné —, et les traces d'un corps allongé, à quelques mètres une lampe-tempête à demi enfouie dans la neige.

Cosandey descend dans la fosse. Le couvercle du cercueil est complètement dévissé, replacé à la hâte, laissant une étroite ouverture du côté du buste de la morte. Cosandey y plonge la main :

— On ne sent plus la tête ! hurle-t-il et il s'écroule, plié en deux sur le cercueil.

On ranime Cosandey, qui demeure à monter la garde en grelottant auprès de la fosse, on gagne le Café Cavin, où faire fonctionner l'unique téléphone du village. Sont attendus M. Gloor, juge de paix du cercle de Mézières, M. le juge d'instruction Blanchod et deux agents de la Police cantonale de Sûreté, à qui il faudra trois heures pour gagner le Jorat par le vieux tramway venteux de la ligne Lausanne-Moudon : afin de rattraper le temps on ira les chercher en char à la halte du château d'Ussières.

C'est alors qu'on découvre les choses. De Mézières, où l'on a enfin réussi à l'atteindre, le Dr Delay a rejoint le groupe. Il donne l'ordre d'enlever le couvercle du cercueil. Cadavre violé. Traces de sperme, de salive, sur les cuisses dénudées de la victime. Et la mutilation la plus sanglante apparaît dans son horreur.

La main gauche, coupée net, gît à côté du cadavre.

La poitrine, cisaillée à coups de couteau, est profondément charcutée. Les seins ont été découpés, mangés, mâchés, et recrachés dans le ventre ouvert.

La tête, aux trois quarts séparée du tronc, y a été enfoncée après que des morsures très repérables et visibles ont été pratiquées en plusieurs endroits : le cou, les joues, l'attache de l'oreille.

Une jambe, la droite, et la cuisse droite elle aussi, sont hachées jusqu'au pli du sexe.

Le sexe a été découpé, prélevé, mastiqué, mangé, on en retrouvera des restes recrachés, poils pubiens et cartilage, dans la haie dite du Crochet, à deux cents mètres au-dessus de la forge.

Les intestins pendent hors de la bière. Le cœur a disparu.

Il est certain que le dément a extrait le corps de la fosse pour procéder à son aise. Il y a une poignée de longs cheveux et deux larges flaques de sang, en partie absorbées par la neige, près de la tombe profanée.

L'horrible besogne accomplie, le repas bestial terminé, le corps de la jeune martyre a été réajusté au cercueil, à sa place dans la fosse béante.

# IV

Le vampire de Ropraz. L'expression est consacrée dès le surlendemain, par la *Feuille d'Avis de Lausanne*, dans son édition du 23 février.

> Cette triste affaire, écrit le journal, aura dans notre pays un douloureux retentissement. Jamais encore la chronique du crime n'avait eu à enregistrer en Suisse un acte aussi abominable. Il est vivement à désirer, pour la tranquillité de la conscience publique, que le coupable tombe entre les mains de la justice et reçoive le châtiment exemplaire qu'il mérite. Les hyènes ont l'excuse de la faim pour déterrer les cadavres. Pour lui, pour cet ignoble *vampire*, nous n'en trouvons pas.

Le vampire de Ropraz, le violeur, le buveur de sang du Bois des Tailles, la

chauve-souris des cimetières de campagne...
Tout l'appareil de Dracula court et galope
par le pays. En même temps l'affaire se
répand dans la presse d'Europe et d'Amé-
rique et des journaux de New York, du
Massachusetts, de Boston, évidemment
d'Angleterre et d'Ecosse, pays d'imaginaire
gothique, arrivent au greffe du village dont
le cimetière sombrement illustre fait honte et
effroi loin à la ronde. Il est étrange d'ouvrir
ces vastes quotidiens, et venus de si loin,
pour y trouver des titres en grandes lettres
sur quatre colonnes d'affreux détails :

THE VAMPIRE OF ROPRAZ

Très tôt l'enquête piétine et s'égare. Elle
se dirige d'abord à Vucherens, village voisin,
du côté des deux frères Caillet, assez patibu-
laires personnes qui ont trempé dans des
affaires de meurtre, d'extorsion de fonds, de
vol et de brigandage. Six ans plus tôt Caillet
père, un fils aîné et la mère, ont assassiné le

laitier Budry, à Ecoteaux, le père et le fils ont été condamnés à perpétuité, la mère à trois ans pour complicité de meurtre. Le père et la mère Caillet sont morts au début de leur détention au pénitencier. Or, rappelle la *Feuille d'Avis de Lausanne* du 23 février,

> coïncidence pour le moins curieuse, Rosa Gilliéron est la fille de M. Emile Gilliéron, qui présidait le jury chargé de statuer sur le crime d'Ecoteaux.

Dès lors vengeance? Délirante vendetta des deux cadets assoiffés de sang? Mais le vampire a agi seul. Les deux Caillet sont dépravés, violents, mais pas débiles. Cependant, au bazar de Mézières, ils viennent d'acheter des lampes sourdes du même modèle que celle retrouvée à Ropraz. Et ils jouent du couteau en virtuoses. Où étaient-ils dans la nuit du jeudi 20 au 21? On les arrête, on les relâche. Leurs femmes, autre gibier de caniveau et de potence, ont fourni les alibis.

En attendant, la rumeur enfle. Et la peur. On s'arme de plus belle, la nuit on se barricade, et la délation va son train. Envie, basse jalousie, règlements de comptes ancestraux, prétendants éconduits par Rosa ou par son austère père, particuliers lésés par ses décisions de juge, politicards froissés de sa carrière, solitaires, timides, compulsifs éperdus et obsédés par la pureté de la trop belle jeune fille… On fait courir le nom d'un autre notable de Ropraz dont le métier accessoire, boucher ambulant dans les fermes, peut faire songer à des jeux de lame très suggestifs et coupables. Dépeceur de cochons et de tendrons! La pire chansonnette menace. Une longue semaine on soupçonne un étudiant en médecine venu passer quelques jours, justement fin février, dans sa famille de Mézières. Un carabin, vous pensez, avec tous ces cours de dissection qu'on leur dispense à nos frais!

L'étudiant est houspillé deux jours entiers dans les locaux de la Sûreté. Peine perdue.

«Un coriace», dira l'agent Décosterd, qui a mené l'interrogatoire. «Ils ne se laissent pas impressionner, ces jeunes docteurs. En tout cas, celui-là, on l'a à l'œil. Il prétend qu'il sera chirurgien. Raison de plus pour ne pas le perdre de vue une minute.»

Pendant ce temps, le vampire court. On le signale à Vucherens, à Ferlens, à Montpreveyres, il survient toujours la nuit, déjoue les rondes de veille et le flair des chiens, à chaque visite se hisse à l'étage où dort la jeune fille ou la bonne.

— Vous voyez la vitre cassée, l'échelle était appuyée là…

— Mais il n'a rien fait à votre fille.

— Elle s'est réveillée à temps. Elle rêvait, la pauvre petite, tout à coup elle s'est mise à hurler, on n'a eu que le temps de saisir la hache et de bondir à l'étage.

On a peur, on s'étonne, on s'intéresse.

— Il ne l'a pas touchée, le salaud, quand même il était là, regardez le carreau cassé, les coulures de la neige sur le parquet. Il faut

31

croire qu'il a été intimidé par les gousses d'ail et le crucifix avec lequel elle dormait !

Car partout on a ressorti le Christ qu'on gardait des temps catholiques. Dans tous les villages, les hameaux, maintenant sont accrochées aux cadres des fenêtres, aux espagnolettes, aux linteaux, aux balcons, aux grilles, même aux portes dérobées et aux caves, des guirlandes d'ail et de saintes images qui révulseront le monstre de Ropraz. A nouveau les croix se dressent dans ce pays protestant où on ne les voyait plus depuis quatre siècles. Sur les collines, sur les chemins, on replante l'objet abhorré depuis la Réforme. Le vampire craint le signe du Christ ? « Là, ça le fera réfléchir ! Et le chien est détaché. »

Le pasteur Béranger et la paroisse mère de Mézières tolèrent ces superstitions. « Avec les sorciers de Fribourg si proches, et leurs mages, leurs curés jusque sur la frontière, je suis habitué aux simagrées. » Béranger est huguenot. Un soldat de Dieu. Comme catéchète de Rosa, il a assisté à la reconstitution du corps quand on l'a rapporté, quelques heures, du cimetière à la Grande Salle pour le laver et le réparer. C'est lui, Béranger, qui a béni la dépouille revêtue d'une nouvelle robe blanche avant qu'on la réenterre.

— Et Mme Béranger, et la petite aide de la cure, vous n'avez pas peur, monsieur le pasteur, que le monstre les attaque ? Il doit vouloir se venger de vous, qui avez été si bon pour Rosa…

— Celui qui aime Dieu ne craint pas l'esprit des ténèbres, répond le pasteur d'une voix forte.

Et il remonte sur le siège du char attelé qu'il conduit lui-même, la nuit tombe, la nuit hantée, longtemps on entend les roues crisser dans la neige gelée du chemin d'en bas.

# V

En attendant il court, il court, le vampire de Ropraz, cousin lointain et si ressemblant de Drakul, maître lunaire des abrupts de la Valachie et de la Transylvanie désolée de crimes. Il a pour lui l'effrayante parenté des Carpates et des contreforts vaudois aux noires forêts où il se cache, surveille, affûte sa soif et sa faim, le mangeur de la pure Rosa.

Croyez bien, recroquevillé dans la broussaille où il se terre jusqu'à la chute du soleil, ou dans la caverne d'une pente, une faille dans la sombre falaise, qu'il a entendu bringuebaler l'attelage du pasteur sur le chemin cahoteux. Croyez, plus tard, qu'il a vu s'éteindre la lampe aux fenêtres du château d'Ussières, s'éteindre la lampe du café Cavin, celles des maisons de massive pierre, des fermes dans leurs solitudes. Maintenant la nuit est à lui.

Le vent s'est levé de la combe. Il souffle sur la nuit, le vent mouillé et froid qui cloue les chiens dans leur niche et durcit le gel des chemins... Tant de jeunes vierges dorment de leur sommeil de lys dans tant de lits vertigineusement tièdes. Tant de jeunes mortes vont reposer, pour leur première nuit en terre, sous le couvert de leur fraîche tombe. C'est l'heure de te mettre en marche, Dracula, maître de l'ombre, par les bourgades et les campagnes! Toi qui connais tous nos gestes, nos haltes, nos hésitations, qui boiras le sang de nos filles et les fouilleras, les dévoreras, avant que l'aube ne te repousse dans ton introuvable repaire!

Car depuis le 20 février on dirait qu'aucune colline, aucun bois, aucun chemin de traverse n'échappe au pouvoir du monstre. Il est partout, le vampire de Ropraz, il rôde, il guette, il menace, par lui s'accroît la peur vissée au fond des fermes solitaires. L'angoisse de la mauvaise surprise qui hante les domaines plus lourds, la hantise lovée dans la chair du viol sexuel et expiatoire. La vieille culpabilité des corps punis et offerts au diable.

Tu étais trop belle, Rosa, tu paies ton éclatante blancheur!

Ancestralement tout est maléfique et dangereux dans ces campagnes perdues, l'orage qui gonfle les rivières, la foudre qui met le feu aux toits, la sécheresse qui tue les champs, grille l'herbe, rapetisse et racornit les fruits, la pluie qui pourrit la récolte et ravine les cultures. On se méfie des vagabonds, des mendiants, des prédicateurs ambulants chapardeurs comme des romanichels. On chasse les gens du voyage, bohémiens, tsiganes, on fait fuir les colporteurs à coups de fourche. Mais voilà le 20 février, voilà le règne du vampire qui résume toutes les craintes, les violences, la folie rentrée, et resserre sur l'insaisissable l'horrible secret du monde mauvais. Il y avait les pasteurs qui dénonçaient nos orgueils et nos mensonges. Il y avait le sermon du dimanche dans les églises de Calvin et le rappel du jugement qui attend notre distraction. Il y avait surtout en nous, du fond des siècles de rumination accablée, la certitude de la punition suspendue là-haut sur nos vies.

Maintenant dans l'emprise du vampire aucune masure, vaste demeure ou bicoque, aucun appentis, réduit, atelier, aucun miteux galetas, aucune guérite ou remise n'échappe à son aguet cruel. Les enfants des maisons isolées ne vont plus à l'école, le facteur ne fait plus sa tournée par les collines ou les hameaux, le Dr Delay est protégé par le garde-chasse quand il se déplace au chevet d'un malade éloigné. Mais a-t-on même le droit de tomber malade par ces temps graves ?

Plus que jamais les mères surveillent leurs filles. Avant février le danger venait des garçons, des bals, des lotos, des soirées de chant, à l'heure qu'il est le monstre est caché parmi nous, sournois, habile, renseigné, proche à se lécher les dents et à baver sur nos sommeils avant de percer la gorge et le ventre lisse de nos fiancées.

Le lundi 2 mars 1903 paraît un article indigné en tête de la *Revue de Lausanne*.

## ENCORE LE VAMPIRE
## DE ROPRAZ

Il est tout de même inadmissible, écrit le journal radical sur quatre colonnes, que notre Police si active en toute autre occasion n'ait pas encore trouvé l'indice capable de la mettre en présence de l'odieux criminel qui terrorise nos campagnes, et s'en prendra bientôt à nos villes et à nos manifestations. L'horrible viol de la dépouille de la jeune Rosa Gilliéron, dont nos lecteurs connaissent tous l'éminent père, M. le juge et député Emile Gilliéron, de Ropraz, restera-t-il encore longtemps impuni ? Le vampire aurait-il raison de l'ordre public et de la paix de tout un pays, dont il ne fera bientôt qu'une bouchée ?

## Le vampire de Ropraz

Ces lignes, comme les articles de journaux qui paraissent maintenant dans toute la Suisse, et de plus en plus souvent en Europe, disent parfaitement la crainte et l'impatience qui énervent l'opinion et exaspèrent villes et campagnes. D'un côté le vampire qui se moque du monde, agit comme il veut et fait monter l'hystérie. En face de lui, impuissance et inaction des enquêteurs. Pour les résumer, une question ponctue sombrement l'article de la *Revue de Lausanne* : « A quand une nouvelle scène d'enfer ? »

# VI

Mars passe, et avril, dénonciations larvées, faux bruits, calme trouble, rien n'arrive plus depuis l'attentat de Ropraz. Mais la rumeur enfle, on donne des noms, la plainte pénale guette pour injure et diffamation. Et les querelles de clan, haines de famille, obscures histoires d'héritages ou de remaniements de terres, toutes ces vilenies reprennent du nerf à la faveur de la suspicion et de la peur.

En découpant et suçant le corps de sa fille morte, le vampire de Ropraz a dressé les uns contre les autres les affidés de Gilliéron. Au début de mars un de ses voisins de la Moille du Perey, un notable, riche propriétaire, est accusé par la rumeur d'avoir engrossé Rosa.

Il faudra toute l'autorité du juge et le témoignage du Dr Delay pour faire taire une calomnie à laquelle personne ne croyait. Rosa est morte au-dessus de tout soupçon, mais la laideur de l'agression dit la méchanceté ambiante.

A la même période un célibataire d'Hermenches, borgne et foireux, le sieur Juste Fiaux, est arrêté par la Sûreté. Tout l'été 1901, ce Juste Fiaux a travaillé comme valet à la ferme de Gilliéron, et il n'a cessé, cela est dûment attesté, d'importuner la jeune Rosa par des avances déplacées. Elle l'a gentiment éconduit et on en est resté là. Mais Fiaux, aigri, s'est-il vengé de ce mépris? La piste est tôt abandonnée.

Et l'ample boucher ambulant, à Ropraz, dont le nom a été prononcé comme ennemi du député? Il a pris un avocat à Lausanne, Maître Spiro, plaideur redouté, et personne ici n'a envie de subir ses célèbres foudres. Exit le boucher ambulant, marchand de bétail, gros paysan, conseiller de paroisse de son état.

D'autres ont moins de chance. Le nom d'un éducateur congédié pour une affaire d'attouchements jamais très bien élucidée est mis en avant, l'homme n'a pas été blanchi, même si le pédagogue s'est reconverti en écrivain public à Oron-la-Ville. Là il écrit (ou fait écrire) de drôles de lettres amoureuses. A des dames d'Oron et de Mézières, à des demoiselles de tout le district, à la fille du Dr Delay, à Rosa. L'écrivain nie. Où était-il, dans la nuit du 20 au 21 février? Il prétend ne pouvoir le dire pour épargner l'honneur d'une dame.

— Et la veille?

— Je travaillais à mon roman.

— Quelqu'un vous a-t-il vu écrire?

— Je ne me donne pas en spectacle. Vous savez ce que c'est qu'écrire? Un sacrifice, oui, messieurs, un sacrifice bien plus terrible que l'immolation de la dépouille d'une innocente paysanne!

L'inspecteur Décosterd et ses collègues de la Sûreté se tapotent la tempe de l'index. Ecrivain ! Et nouveau martyr ! On laisse l'oiseau à son discours.

Ainsi jusqu'à la rentrée des classes, après Pâques, le mardi 14 avril. L'horreur survient à Carrouge, à huit kilomètres de Ropraz, sur le contrefort de la route de Moudon. Dans le pré qui sert d'espace de jeu entre le cimetière et le collège, l'instituteur Aimé Jeunet, qui tient l'unique classe de Carrouge, surveille la récréation en fumant un petit cigare Fivaz, lorsque son attention est attirée par un groupe d'enfants qui s'amusent à jouer au football avec un étrange ballon. S'étant approché tranquillement, Aimé Jeunet constate avec stupeur que ce ballon est une tête et que cette tête est scalpée, sanguinolente, des touffes de cheveux collent encore au crâne comme pour une infâme parure. Effaré, le maître manque de s'évanouir et les gamins se dispersent. Car Jeunet a reconnu le crâne : « C'est Nadine ! » hurle-t-il, en vacillant à nouveau, et il s'écroule à plat dans l'herbe.

L'heure qui suit, on redécouvre toute l'horreur du rituel funèbre. Tombe ouverte, cercueil dévissé, là encore, cadavre violé, taches de sperme et de salive autour du nombril et aux cuisses. Et le reste du corps profané, ensanglanté, cette fois le sexe de la jeune morte a été emporté, la tête entièrement détachée du tronc. Puis le crâne a été scalpé, à preuve les entailles de l'os, le sang en croûte, et la longue touffe de cheveux noirs qui luit au soleil de l'allée.

Que s'est-il passé à Carrouge?

Trois ans auparavant, une famille du village a recueilli une orpheline sauvée de la tuberculose osseuse. Mais une jambe est paralysée, Nadine Jordan boite, on lui fait faire de petits travaux de ménage pour la garder à la maison. Elle est jolie, appliquée, fraîche, les garçons se mettent à la courtiser malgré sa jambe raide et sa taille qui est celle d'un enfant. Pourtant bien proportionnée, une jolie poitrine, de longs cheveux foncés qui brillent, l'instituteur lui-même, M. Jeunet, pas insensible à tant de grâce... Le dur hiver a ses lois. En décembre dernier la tuberculose se ranime, une mauvaise fièvre gagne, l'agonie est courte, Nadine Jordan meurt quelques jours avant Pâques, jeudi 9 avril, on l'enterre le samedi 11. Comme pour Rosa Gilliéron, c'est le pasteur Béranger qui a célébré l'office funèbre, Carrouge est voisine de Mézières, il a évoqué la brève vie de Nadine, jeune fille courageuse et sans tache, et récité la prière des morts.

Cette fois-ci, il n'y a pas de neige pour dire les traces du vampire. Il y a ce crâne coupé au sang noir, et une longue poignée de cheveux encore emperlés de rouge, dans le gazon du cimetière, derrière l'église et l'école.

# VII

Il semble que le printemps avive l'ardeur du vampire. A peine, à Carrouge, a-t-on découvert le corps torturé et le scalp de Nadine Jordan, qu'une troisième affaire macabre assomme à nouveau le Jorat.

C'est à Ferlens, cette fois, un village à l'est de Carrouge, sur la route du lac de Bret. Une jeune femme de vingt-trois ans vient de mourir de phtisie et son mari, Jacques Beaupierre, accède à sa dernière volonté : être enterrée la tête posée sur le petit coussin de caoutchouc qui l'a aidée à surmonter son épreuve. Vœu bizarre, promesse pieusement tenue, Justine Beaupierre est inhumée le mardi 21 avril, la tête appuyée, dans la bière, sur l'absurde et utile objet.

Quel est l'effroi de Beaupierre, à sa première visite au cimetière, le lendemain matin de l'enterrement, quand il aperçoit ledit coussin, orangé et très visible à la lumière de neuf heures, dans l'allée qui conduit à la tombe de sa femme !

Là aussi la fosse est ouverte, cercueil béant, robe mortuaire arrachée et lacérée, la gorge de la jeune femme est percée de trous et cisaillée, seins découpés, en partie mangés. Sperme séché, traces de salive, comme une bave, dira plus tard Jacques Beaupierre, au nombril et dans les plis de l'aine. Une longue balafre nette tranche le ventre, le pubis et le sexe ont été prélevés et emportés. On en retrouvera des fragments, mastiqués et recrachés, poils, chair vive et cartilage, dans le taillis de buis qui borde l'enclos. Comme on a retrouvé des fragments de sexe et des poils dans la noire haie du Crochet, à Ropraz, après l'attentat de février.

— Couleur des yeux de Justine Beau-pierre?

— Bruns tirant sur le foncé.

— Couleur des cheveux?

— D'un brun sombre.

— Couleur de la peau de la précitée?

— D'une clarté pâle.

— Taille de la précitée?

— Moyenne et bien prise. Seins dévelop-pés. Hanches étroites.

— Corpulence de la précitée?

— Fine et souple. Quarante kilos au plus.

A croire que le vampire de Ropraz s'en tient à un type de femme, toujours le même, et qu'il choisit très à l'avance la victime qu'il sacrifiera. Comment est-il renseigné? Comment sait-il qu'une fine noiraude agonise, et en quel endroit précis? A-t-il la liste des jeunes malades au dernier stade, dans tous les dispensaires, sanatoriums, lazarets ou asiles de la contrée? Dispose-t-il d'un complice à l'hôpital de Moudon? Et l'horaire des enter-rements : comment sait-il, au jour près, à l'heure dite, que l'on va porter en terre telle jeune morte dans tel village bien arrêté?

On se met à soupçonner les marguilliers, les croque-morts, et celui de Ferlens, le père Cordey, est tarabusté par l'enquête. L'alcool le sauve, Dieu est bon. A l'heure du crime Beaupierre, Jérémie Cordey était encore ivre mort grâce aux pourboires de la veille.

On réenterre Justine Beaupierre. A nouveau une robe neuve pour le corps charcuté, à nouveau le pasteur Béranger qui ne craint pas de comparer ces terribles événements aux Dix Plaies d'Égypte, à la punition attendue de Sodome et de Gomorrhe. «Quel crime expions-nous, à notre misérable place? Tu le sais, Toi, Seigneur, et nous aussi nous le savons si nous regardons notre conscience. Nul n'est blanc devant le Seigneur. C'est seulement quand nous aurons examiné toutes nos fautes, et décidé de nous repentir, et de changer le cours de nos vies, ô Seigneur, qu'alors Tu rendras la paix à nos villes et à nos villages. Comme Tu as apaisé, dans ta bonté, nos cœurs obscurcis de tant d'erreur. »

Voilà, c'est dit, Dieu anéantira le vampire quand nous nous abandonnerons à Lui. Vœu biblique, qui rejoint l'obsession de la faute verrouillée au corps des calvinistes dans leurs déserts. Leur âme accablée par l'abrupt d'un ciel inatteignable. Béranger connaît bien son monde. Cependant, surtout à la nuit venue, ils pensent tous aux trois beaux corps ensanglantés et rapiécés au fond de leur nouvelle couche de terre dans leurs trois petits cimetières perdus, et ils savent que le monstre aura le dernier mot, dans cette vallée que Dieu nous donne, d'amères larmes et de ténèbres méritées.

# VIII

L'attentat Beaupierre au cimetière de Ferlens, par la répétition du rituel, dépassait
l'imagination du pire. Mettrait-on jamais un
terme à cette boucherie ?

Une nouvelle histoire à Ferlens, *l'affaire
du Café du Nord*, comme on la nomma aussitôt, put faire croire un instant qu'on tenait
le coupable.

Au Café du Nord le patron, M. Georges
Pasche, se plaignait depuis l'hiver qu'à l'étable attenante à la ferme et au café, qui ne fai-
saient qu'un seul bâtiment assez vaste, ses
vaches et ses génisses fussent agressées par
des traitements contre nature. En effet cet
hiver-là, et durant tout le printemps, la

vulve, l'anus et le rectum de plusieurs bêtes
furent abîmés par l'intromission d'un pénis
de grande taille, ou d'un bâton, d'un manche
de pioche ou de quelque autre instrument
pointu, car la membrane et le rectum des
jeunes femelles étaient percés, ou déchirés, le
plus souvent ensanglantés à l'heure de la
traite matinale, et du sperme souillait encore
l'orifice de plusieurs bêtes.

D'abord Georges Pasche fait le guet,
n'osant révéler les choses de crainte qu'on
lui attribue quelque commerce avec le
vampire de Ropraz. Mais comme elles
durent, et même s'aggravent, Pasche finit par
promettre deux écus de cinq francs, une
grosse somme à l'époque dans ces campagnes, une monnaie fédérale en lourd
argent, à qui dénoncera le coupable ou
l'aidera à le confondre. Nous sommes lundi
11 mai 1903.

Il n'en faut pas davantage, deux jours
après l'annonce de la récompense, pour
que la petite serveuse du café surprenne

Favez, le garçon de ferme, en pleine nuit, à l'étable, debout sur un tabouret, le pantalon baissé sur les chaussettes, en train de s'exécuter sur une génisse entravée. La serveuse brandit la lanterne : « Cette fois je te tiens, mon gaillard ! » Pasche accourt au bruit de la mêlée, et la mère Pasche, et bien sûr les enfants Pasche, tout ce monde en chemise de nuit dans l'étable qui remue et fume d'odeurs pesantes, de buée, de lampes à mèches secouées. Le valet est rhabillé de force, ficelé, enfermé à la cave, à l'aube les gendarmes à cheval de Mézières le hissent sur leur fourgon et le bouclent aux prisons d'Oron, chef-lieu du district.

De son nom complet, le malheureux est Charles-Augustin Favez. Il a vingt et un ans, en paraît le double, drôle de corps, tête fuyante, alcoolique, vicieux, taiseux. Et il s'amuse avec nos bêtes ! Est-ce qu'il rôderait dans les cimetières ? Et si c'était Favez le coupable, Favez à la tombe de Rosa, lui encore à Carrouge, encore Favez à Ferlens! Bien sûr c'est Favez, le sadique. C'est Favez, le monstre. C'est lui, le vampire de Ropraz. A défaut d'humaine victime, il perfore les vaches et les génisses en attendant que d'autres jeunes femmes mortes lui tombent encore sous la dent. Ou des vivantes, pourquoi pas? Des petites cailles bien douces et chaudes, dans leur sommeil innocent d'écolières, de catéchumènes ou de jeunes mères, sur qui se traîner et frotter son mufle immonde.

Ce jeudi matin 14 mai, un seul cri monte du Jorat, et plus loin dans tout le pays : « On tient le vampire! C'est lui le vampire!» Oui c'est lui, pire que le loup, ou l'ours surgi des légendes, qui a souillé trois corps de jeunes mortes à Ropraz, à Carrouge, à Ferlens, lui qui nous a terrorisés, c'est lui maintenant qu'il faut juger, c'est pour lui qu'il faut rétablir la haute peine. Ce matin-là, par les campagnes et les hameaux, on parle partout de la peine capitale même si elle est abolie depuis trente-six ans [1]. Peine de mort seule capable, aux yeux et aux oreilles de toute une population, de convenir à des forfaits pareillement abominables.

Mais qui est-il, cet amant des mortes, ce violeur de vaches, l'auteur de tant de crimes affreux ?

Charles-Augustin Favez est né à Syens, un minuscule village entre Moudon et Mézières, le 2 novembre 1882, dans un milieu défavorisé où l'alcool, l'inceste et l'illettrisme sont des plaies ataviques. A trois ans Charles-Augustin est soustrait à sa misérable famille, confié à un couple qui abuse de lui, enfin placé par l'Assistance publique dans une famille de négociants à Mézières, les Chappuis, qui essaient de l'élever honnêtement en lui faisant faire de petits travaux au magasin en même temps qu'il fréquente l'école.

---

1. La *dernière* exécution capitale en Pays de Vaud a eu lieu à Moudon, à douze kilomètres de Ropraz, le 15 novembre 1867. L'empoisonneur Héli Freymond, entre autres assassin de sa femme, est décapité en place publique devant une foule parfaitement satisfaite.

Charles-Augustin est très vigoureux, plus développé que les garçons de son âge, et soumis à des crises de colère qui effraient. Il fréquente peu ses camarades, fuit les filles, parle si peu qu'on pourrait le croire muet. A la visite sanitaire annuelle aux classes de Mézières, en juin 1892, – Charles-Augustin a dix ans –, le Dr Delay note dans son rapport que l'enfant Favez est trop développé pour son âge, d'une pâleur extrême, et que ses yeux sont éraillés de rouge «comme si la lumière du jour le blessait». Cette note sera citée au procès.

Charles-Augustin Favez est sujet à des «absences» qui oblitèrent de sa mémoire certains faits ou certains actes qu'il a subis ou pu commettre. Il semble qu'il a cultivé ces absences comme protection de graves blessures d'enfance, ainsi la faim, et les mauvais traitements qu'il a endurés avant son placement chez les Chappuis. Dans les affaires qui nous intéressent, il dit n'avoir aucun souvenir d'aucun acte pervers récent qu'il a, ou aurait pu avoir commis, dans aucun des cimetières cités.

On relève, dès l'âge de quinze ans, une tendance à la boisson qui lui fait avaler tout ce qu'il trouve d'alcoolisé, surtout le samedi, où il fréquente les cafés et les bals, malgré son âge, les fêtes foraines, et autres festivités où il se soûle. A maintes reprises on le ramasse à la fermeture des établissements et on le jette devant la porte du bazar Chappuis, à la Grand-Rue, où ce spectacle fait peur.

A seize ans il est renvoyé du catéchisme pour avoir volé cinquante centimes dans la blouse d'un camarade au vestiaire de la Cure. Coïncidence intéressante : à l'école et au catéchisme il s'est trouvé dans la même classe que Rosa Gilliéron dont il s'est tenu éloigné, intimidé, mais le rapport de l'instituteur dit « qu'il ne cessait de la regarder et de la suivre dans la rue malgré la présence de son père ».

Charles-Augustin Favez et Rosa Gilliéron n'ont qu'un an de différence : 1882 et 1883. Ils ont la « même » scolarité dans un pays où l'instruction publique est obligatoire pour tous. Il est curieux d'imaginer la pure jeune fille, innocemment attentive aux leçons du maître au premier rang, et dans le fond de la classe le vampire Favez qui la guette et déjà imagine de la saigner et avaler.

# IX

Favez est donc enfermé aux prisons d'Oron. La détention ne dure pas long-temps : cinquante-sept jours. Comment se fait-il que le criminel le plus célèbre de toute la Suisse échappe ainsi au châtiment ?

A Oron, contre toute attente, Charles-Augustin Favez va bénéficier de deux inter-ventions. La première est obligée, c'est celle d'un psychiatre déjà célèbre à l'époque, le Dr Albert Mahaim, qui a étudié les thèses de Charcot, assisté à ses leçons, à la Salpêtrière, fait lui-même de nombreux travaux sur l'hys-térie, le sadisme, la neurasthénie, et qui pres-sent en Favez un sujet d'observation, peut-être de démonstration, utile au développement de ses propres thèses. Professeur à la faculté de médecine de Lausanne, Albert Mahaim est aussi l'un des fondateurs du tout nouvel établissement psychiatrique de Cery, à l'ouest de la ville, aux frontières boisées de l'agglomération de Prilly-Chasseur. L'établissement de Cery a l'ambition de se développer en devenant l'un des premiers centres d'études des maux de l'âme en Europe. Un exemple : l'établissement, dès son inauguration en 1873, trente ans avant ces événements, s'est doté de plusieurs pavillons de gériatrie et d'une ferme modèle où les malades les moins dangereux, ou en état, comme on le désigne à l'époque, de « latence », sont habilités à travailler à mesure qu'ils s'en montrent capables. Vergers, plants maraîchers, forêts, basse-cour, travaux de la terre, mais aussi élevage du gros bétail, – le troupeau de Cery, avec plusieurs taureaux primés chaque année, aux concours agricoles cantonaux, passera bientôt pour l'un des mieux traités de la région. En 1903 déjà, la

ferme emploie une quarantaine de pension-
naires, sous les ordres de plusieurs médecins
et contremaîtres.

Albert Mahaim examine Favez, il le recon-
naît alcoolique, taciturne, ataviquement
enclin à des crises de colère qui peuvent
monter en violence. Mais Favez n'est peut-
être pas le monstre qu'on croit. En aucun
cas, démembreur de cadavres et anthropo-
phage.

L'examen anatomique de Favez dénote
une grande robustesse et une endurance peu
commune à l'indigence. La chute d'un arbre,
en forêt, lors d'un stage malheureux de l'in-
téressé chez un maître bûcheron, a lésé une
épaule assez gravement pour laisser un léger
déboîtement de l'os et de la clavicule. Mais
Favez n'en souffre pas, son torse est puissant,
ses bras sont longs et très musclés, le sexe et
les testicules sont très développés ; à noter
que la masturbation précoce et répétée a eu
pour effet de dégager le gland : les habitudes

solitaires du sujet l'ont circoncis naturelle-
ment.

— Le sujet a-t-il eu des relations sexuelles
avec une femme ?

— Malgré sa réticence et après de longues
heures d'entretien, le sujet avoue qu'il n'a
jamais connu de femme. Il a rencontré des
prostituées, à Lausanne et à Yverdon, mais
il avait trop bu et les femmes n'ont pas
insisté.

— Le sujet a une forte constitution.
Pourquoi n'a-t-il pas fait son service mili-
taire ?

— L'armée n'a pas voulu de lui à cause de
l'épaule déviée. C'est l'épaule droite, celle du
tir. Les médecins militaires qui l'ont examiné
ont conclu à une malformation congénitale
inapte au service. « Dommage pour l'armée
fédérale », dit en souriant le Dr Mahaim. « Il
aurait fait un bon soldat. »

Une particularité cependant alerte le
Dr Mahaim. Favez a toujours les yeux
rouges, éraillés, comme bordés de chair à vif,

il cligne continuellement de la paupière comme si le jour lui faisait mal. Albert Mahaim note ce détail à contrecœur, il sait qu'il attribue à Favez l'œil rougi du vampire qui ne supporte pas la lumière.

L'épaule lésée et déjetée donnera toujours à sa démarche l'allure fuyante, cela est vrai, qui est aussi celle du monstre.

Autre détail, mais qui prend tout son sens si l'on se souvient des dents du rôdeur nocturne assoiffé de sang, particulièrement grandes et affûtées : l'examen dentaire de Favez révèle une mâchoire aux dents anormalement longues, les incisives plus aiguës que nature, ce qui ouvre la bouche sur un rictus difficilement supportable.

Quant à la fouille des objets personnels du prévenu, de ses vêtements et du galetas où il dort, à Mézières, sous le toit du bazar Chappuis, elle ne donne rien d'intéressant : sinon un petit couteau de poche, à manche de bois, à lame émoussée et rouillée. Dérisoire objet, le Dr Mahaim le démontre et l'explique, incapable de trancher une chair avec la précision rapide, et terriblement efficace, des attentats des trois cimetières.

Le couteau de poche est examiné par deux experts en criminologie venus spécialement de Bâle et de Zurich, le Dr Paulus Betschacht et le Professeur Johannes Berg, deux savants consultés en meurtres et vices par les Polices d'Allemagne et d'Autriche. Ces deux austères Messieurs n'ont trouvé aucune trace de sang humain sur la médiocre lame, rien que des résidus gras à base de caséine et des sucres de fruit provenant du fromage et des pommes volées dans les vergers, dont le sujet se nourrit le plus souvent.

— Il n'y avait pas de sang non plus, ou de traces de graisse humaine, dans les vêtements du prévenu ? Ou sur ses chaussons ? Dans son lit ?

— Aucun vestige physiologique. Le sujet lui-même est propre, le galetas où il dort régulièrement aéré et balayé par ses soins.

A faire remarquer encore que les experts

suisses-allemands, spécialistes reconnus dans
toute l'Europe en matière de criminologie,
ont mis Favez à l'épreuve sur plusieurs piè-
ces de viande animale, lui ordonnant de
trancher et découper une carcasse de bœuf,
un ventre de porc et une poitrine de génisse.
Le prévenu s'est montré incapable d'en venir
à bout. Avec son «petit couteau» comme
à l'aide d'instruments de boucher particulièrement aiguisés, Favez n'a pu, ou su,
trancher la viande d'une bête abattue la
veille.

La conclusion du Dr Mahaim était
d'élargir Favez dans les plus brefs délais. Un
élargissement assorti d'une amende de
trente-cinq francs inscrite au registre pénal
pour agissements contre nature envers les
animaux, et d'un suivi psychologique d'au
moins trois mois, avec ordre de se présen-
ter à la consultation de Cery chaque premier jour de la semaine. Le Dr Mahaim
ajoutait qu'à Cery il recevrait lui-même le
dénommé Charles Favez, parce qu'au cours

de sa brève enquête il s'était attaché à un personnage qui tenait plus de la victime d'une ruralité misérable, que du bourreau d'une société peu encline à lui laisser une chance.

## X

A quoi rêve un vampire, la nuit, enfermé à trois cadenas dans sa geôle médiévale, il replonge dans des scènes d'enfance où crever de faim, souffrir, subir, se soumettre, si souvent vouloir mourir. Enfermé dans la cellule des noirâtres prisons d'Oron, Favez retrouve de très anciennes scènes qu'il avait cru pouvoir chasser de sa mémoire de rôdeur libre. De chasseur, de vengeur assoiffé de sang? Il a trois ans, quatre ans, c'est avant d'être placé par l'Assistance chez les Chappuis, à Mézières, avec ses parents les coups pleuvent, il y a des cris, les hurlements de son père, ses crises d'ivrogne, et sa mère accablée d'alcool, de grossesses, et la faim, et les coups, toujours les coups et la faim. Il y a les pauvres nourritures volées aux rares enfants qu'il ose aborder. Il y a les restes de viande pourrie et les vieux os dérobés dans la marmite des chiens du voisinage. Et plus tard, après un temps si long, si lent, toujours pareil en tristesse, il y a une nouvelle famille pour lui, il a quatre ans, peut-être cinq, des gens qu'il ne connaît pas et qui lui font tout de suite peur. C'est un hameau perdu dans des collines, des ravins, après Vucherens, l'homme le prend sur ses genoux et le force à baisser sa culotte pour lui enfoncer sa grosse chose. Tais-toi, Favez, personne ne t'entend. On est seuls ici toi et moi, Charles Favez, petit pauvre, il y a toi et moi et tu vas me donner ton petit trou comme hier soir, comme ce matin. Tourne-toi, Favez. Allez, à quatre pattes, Charles Favez. Suce, Favez. Pleure, Favez. Et tais-toi. De toute façon ce qui se passe ici ne sortira jamais, jamais, il n'y a que toi et moi, Favez, et ma femme, la grande truie, qui va entrer dans la danse.

L'homme crie, je m'essuie, avec les doigts, la paume de la main, le gluant sèche sur moi, et j'ai mal, j'ai encore saigné. Puis le fouet. Ou la ceinture, le bâton pour mener les cochons. L'homme tape, je suis à genoux, j'ai les fesses nues, l'homme tape et rentre encore sa grosse chose dans mon trou.

Et sa femme? Aux champs, sa femme. A la forêt pour faire du bois. L'homme est infirme. Malade d'une jambe. Ne sort pas de la maison. Reste enfermé avec moi. Une fois que j'étais par terre, la grosse chose bien enfoncée, sa femme a surgi dans la pièce, tout de suite elle s'est déshabillée et elle est venue frotter son ventre poilu, sa fente mouillée, sur ma tête et sur ma bouche. Pue, la fente. Et qui coule. La femme criait, elle m'avait coincé la tête entre ses cuisses, elle se frottait, elle criait, et j'avais toujours la grosse chose dans le trou qui faisait mal.

Après j'ai été chez les Chappuis et j'ai pu dormir tranquille. Plus de grosse chose qui faisait mal. Mais la femme de la grosse chose, la femme, celle-là, si je la retrouve…

Qui retrouve-t-on de ses bourreaux ? Hommes violents et violeurs, femmes spectatrices, taiseuses, vicieuses, qui laissent l'enfant en proie ou l'utilisent à leurs fins. Dans sa cellule Favez se réveille en sueur, boit au seau d'eau, se rendort sous le gros drap. Sommeil hanté par les figures, de femmes surtout, auxquelles il faudra faire payer, enfant enfin devenu homme, le prix de leur cruauté par une cruauté encore pire. Et sans témoins. Et sans limites. Et ce jour viendra, enfant presque homme, toi tu le sais. Tu t'impatientes, Charles Favez ? C'est pour cette nuit. Ou pour toutes ces nuits dans le noir froid, ou le noir chaud, par la neige nocturne ou le printemps, à faire payer la fente sale.

Cannibalisme, attentats sur trois mortes, bestialité, viol qualifié, le Dr Mahaim a beau pressentir l'origine de la *manie*, comme il l'explique sobrement, il doute, il perd toute certitude, il sait seulement qu'il est loin de se représenter l'exact martyre de l'enfant Favez avant son placement à Mézières. Toutes ces années crucifiées sous la hargne, le sperme, le mucus des brutes sans frein. « On dit le vampire de Ropraz, note Mahaim dans le registre de ses observations, c'est une simplification populaire et terrifiée pour le violeur, le nécrophage, l'épouvantable mangeur de morts. Dans ces déserts, le symptôme du vampire durera tant que cette société sera victime de la crasse primitive : saleté des corps, promiscuité, isolement, alcool, inceste et superstitions qui infestent ces campagnes et créeront d'autres foyers d'exactions sexuelles et d'horreur sans merci. »

## XI

L'autre intervention demeure une énigme.
Aux premiers jours de l'incarcération de
Favez, le samedi 16 mai à dix-huit heures,
une mystérieuse dame en blanc descend
d'une voiture attelée, à la porte des prisons
d'Oron. Sur le siège l'attend un cocher en
livrée sombre. La grille s'ouvre devant la
dame qui pénètre sans un mot dans le bâtiment, le samedi le corps de garde est réduit
à un seul homme, qui conduit la mystérieuse
à la cellule de Favez.

Il ouvre la porte, se retire, la dame entre
dans la cellule et referme la porte sur elle avec
la clef qu'elle a reçue du gardien à son entrée.

Favez ne s'attend pas à cette visite. Il est

debout, tendu, sur ses traits l'étonnement méfiant des prisonniers prêts à se défendre d'un coup, d'un mauvais traitement. La femme s'approche, le regarde des pieds à la tête, puis le dévisage intensément. Le voilà donc, ce mangeur de femmes. Elle vient plus près encore. Ce buveur de jeunes filles. Favez peut sentir l'odeur de la visiteuse. Elle respire l'odeur d'homme enfermé, l'odeur d'amant de la mort. Elle s'approche encore. Favez recule. Soudain la femme allonge le bras, enlace Favez, se plaque, l'agrippe, l'étreinte ressemble à un spasme, Favez tombe, la femme est parcourue d'un long frisson qui la prostre contre le captif. Ce qui se passe ensuite est confus, au bout d'une demi-heure le gardien a collé l'oreille à la porte de la cellule, il parlera plus tard de gémissements, ou de râles, ou de plaintes, il ne sait plus, c'était «comme quand on étrangle une bestiole».

Qui est cette mystérieuse? Avec décence on évoquera une sainte femme venue appor-

ter le réconfort de Dieu à un proscrit de la
société. Plus terre à terre, mais sans résoudre
le mystère de l'étrange intrusion, on parlera
d'une visiteuse des prisons, la fonction était
nouvelle à l'époque, plus vraisemblablement
on suppose une aventurière friande d'émo-
tions fortes ou même une élégante hysté-
rique habile à se faire passer pour dévouée
afin d'approcher un homme qui incarne son
fantasme. De succion, de dévoration mor-
bide. Et de traitements contre nature. Une
chose est sûre : elle a payé le gardien pour
approcher le vampire. Plusieurs mois après,
au moment de la condamnation de Favez à
la peine la plus lourde dont on dispose à
l'époque, à savoir la perpétuité, le gardien
sommé de s'expliquer, et sévèrement travaillé
par la Police de Sûreté, avouera plusieurs
sommes d'argent en écus et billets de cinquante francs.

Car la femme reviendra. Les deux mois de
l'incarcération de Favez, elle le rejoindra au
moins trois fois, les comptes secrets du gar-

77

dien en témoignent. La dame blanche, la mystérieuse, s'enfermant chaque fois plus d'une heure avec l'homme des tombeaux et des génisses perforées, le gardien est vissé à la porte, il tremble lui aussi, le gardien, il vacille au gémissement qui monte de l'ombre, à plusieurs longues reprises, dans la prison où il est seul avec le couple éperdu.

Aujourd'hui encore on ignore qui était la dame en blanc, et qui a révélé son manège. Les prisons d'Oron sont comprises depuis deux siècles dans une aile du château, au-dessus du bourg, leur accès rend difficile une surveillance de l'extérieur. Le château est dressé sur une butte assez élevée qui décourage les guetteurs venus de la ville ou des champs. La dame en blanc devait connaître les lieux et les mœurs de la contrée. Elle a néanmoins pris le risque de s'introduire dans un bâtiment officiel et d'y séduire un personnage prévenu de très lourds crimes.

La femme blanche était-elle médecin, comme on l'a supposé à l'époque ? A l'institution de Cery, elle aurait pu avoir connaissance du cas Favez par le Dr Mahaim lui-même, ou en trouvant ses papiers. Etait-ce une étudiante en médecine ou une auditrice oisive et fortunée des cours de Mahaim, que la personne de Favez, et ses crimes toujours sexuels, troublaient au point de l'égarer ? L'hystérie attire les fous, c'est connu, comme les séminaires d'analyse de possédées extatiques.

Le gardien a été suspendu. Mais repentant, chargé d'enfants au bourg d'Oron, il a été rétabli dans ses fonctions à condition de reverser ses prébendes à la société anti-alcoolique récemment fondée dans le canton, et qui porte un nom céleste : la Croix Bleue.

## XII

Favez est élargi le jeudi 9 juillet. Sa sortie de prison fait scandale. Le vampire de Ropraz est libre ! L'autorité judiciaire se défend en vain, alléguant le rapport du psychiatre, les expertises de Bâle et de Zurich, l'absence absolue de preuves quant aux crimes des trois cimetières, — et surtout, ce qui est déterminant aux yeux de la justice, l'incapacité notoire de Favez à dépecer et débiter quelque chair que ce soit, chair animale, lors des essais auxquels il a été soumis, à plus forte raison chair humaine dans le pire des cas. Une énorme rumeur de colère gronde par tout le pays, et l'on peut craindre pour le faux coupable, le vampire, le vrai vampire pour l'opinion, un lynchage ou un enlèvement suivi de très mauvais traitements. Partout dans le pays surexcité les «jeunesses campagnardes» s'organisent : banderoles, affiches, bruyantes réunions, on crie et scande le nom de Favez,

A MORT-FA-VEZ
LE VAM-PIRE-A-MORT

au point que la gendarmerie d'Oron reçoit du Conseil d'Etat, Service de Justice et Police, l'ordre de protéger le proscrit et de réprimer ces troubles publics. Mais Favez a disparu. Enfui, le vampire. Eclipsé. Plus une trace. Où se cache-t-il ces jours de juillet où la fureur populaire réclame sa tête ? On imaginera plus tard que la mystérieuse femme en blanc l'a mis à l'abri dans un repaire où elle peut tout à loisir vampiriser le vampire. Ou se terre-t-il dans les contreforts de la Broye, peut-être dans les gorges de la Mérine, derrière le sombre Villars-Mendraz, subsistant de racines, d'eau de la rivière et de rapines au détriment des fermes isolées? On signale dans cette période des vols de poules dans les basses-cours, de lapins, de fromage mis à sécher en plein air sur les claies de bois. Tsiganes? Vagabonds? Ou Favez dans sa solitude, traqué, affamé, qui fait feu de tout bois au désert?

Le malheureux Charles-Augustin va commettre l'irréparable.

Est-ce d'avoir goûté à la chair de la dame blanche dans sa cellule du château d'Oron? On dirait que la masturbation ne lui suffit plus. Dans sa retraite Favez se rappelle jusqu'au vertige les avances de la femme Dubois, une veuve coquette, à Mézières, qui l'a souvent provoqué de diverses agaceries. La veuve Dubois a cinquante ans, ronde, noiraude, l'œil allumé, elle passe sa langue sur ses lèvres quand elle croise les hommes jeunes, lance des œillades, rit très fort. La fenêtre de sa chambre à coucher donne sur le bazar Chappuis; au dernier étage, de son galetas, Favez souvent l'a repérée et scrutée. Il l'a croisée dans le bourg, une fois même elle l'a attiré dans son escalier en riant, en se tordant, mais Favez a été pris de peur et il a fui. Dans ses taillis, ses chemins de traverse, il pense à la veuve Dubois, il revoit sa gorge offerte, le cou blanc, les cuisses fermes sous le sarrau.

Favez s'est rapproché de Mézières. Le mercredi 15 juillet, rôdant à la périphérie, il a volé une caisse d'alcool au dépôt des tramways, il a bu toute la journée, six litres d'abominable « schnaps », mélange de pomme, de poire, rebut des distillations plus nobles et recherchées. Il a cuvé son eau-de-vie dans les fourrés de Carrouge, dormi un peu, rôdé le reste de la nuit autour de la maison de la veuve. A l'aube il l'a vue ouvrir le volet, pousser la vitre, s'accouder en chemise à sa fenêtre. Elle l'a remarqué. Il en est sûr. Il retourne au dépôt des tramways, fracture une caisse d'alcool, vole encore une bouteille qu'il boit sans reprendre son souffle.

Il est huit heures quarante-cinq, jeudi 16 juillet 1903. Ivre, ralenti par l'effort de ne pas tituber et s'écrouler, Favez marche dans l'unique rue de Mézières et pénètre dans le corridor de la veuve Dubois. Un étage, deux étages, il frappe à la porte, la veuve ouvre. On saura par la suite qu'il l'a violemment projetée sur son lit, qu'il lui a arraché son vêtement de nuit, la mordant jusqu'au sang à la bouche et au cou, à preuve les marques rouges, de vrais trous, encore visibles plusieurs jours, puis qu'il l'a écartelée et s'est vivement introduit en elle malgré les coups qu'elle lui porte. La veuve hurle, la fenêtre est ouverte, deux clients du bazar Chappuis se précipitent, suivis du petit-fils de la veuve, le jeune Justin Dubois, quatorze ans, qui ce matin-là venait en visite chez sa grand-mère.

Favez, hagard, le sexe encore dressé, est maîtrisé et rhabillé.

Une demi-heure plus tard il est aux mains des gendarmes qui l'enferment à nouveau aux prisons.

A midi, ce jour-là, il se fait un grand rassemblement devant la gendarmerie d'Oron, – dans le même bâtiment, à l'étage, se trouvent aussi le bureau du juge au Tribunal de district, la Justice de Paix et une antenne de la Police de Sûreté. Emeute, menaces, vociférations :

LE VAM-PIRE-A-MORT
LE VAM-PIRE-A-MORT

crie la foule qui fait mouvement en direction du château où le maudit est bouclé. Il faudra plusieurs gendarmes à cheval pour barrer la route aux plus furieux, surtout des gens de Ropraz, qui veulent la peau de Charles-Augustin Favez pour venger Rosa Gilliéron, première victime du vampire ivre de sang et de chair, et nettoyer le pays d'un monstre qui lui empoisonne l'existence.

# XIII

Dans sa cellule, Favez a peur. A tout moment la porte triplement verrouillée peut céder sous la pression des émeutiers. Favez sait les gens de Ropraz particulièrement vindicatifs. Il a assez couru par tout le pays pour connaître leur ténacité. Il sait qu'il est *leur* vampire. Il suffirait qu'un des meneurs le décide, Aloïs Rod, Pierre Gilliéron ou le grand Desmeules, qui a assommé trois forains à lui seul à la dernière Fête de tir, pour que saute le barrage des gendarmes et que sa porte vole en éclats. Charles-Augustin Favez a souvent rôdé autour de Ropraz, il se souvient de la beauté des filles, surtout de Rosa, il l'a tellement regardée à l'école, plus tard dans les bals, les soirées de chant, qu'il en a encore mal aux yeux. Les collines de Ropraz. Le château rose. L'autre château, le blanc, sur la colline. Et le cimetière devant la forêt, ce cimetière de Ropraz avec son passage secret qui file dans le bois et les gorges.

Favez a peur. Ce soir, jeudi 16 juillet, dehors il doit faire tiède et clair, des hommes et des garçons de Ropraz sont revenus crier devant la prison et c'est toujours le même cri que capte Favez, le cri scandé qui lui tord le ventre :

LE VAM-PIRE-A-MORT
LE VAM-PIRE-A-MORT

Dans sa cellule Favez a peur. Pourquoi le gardien ne lui a-t-il pas encore apporté sa soupe ? Pourquoi n'entend-on plus les chevaux de l'escadron de gendarmerie devant sa geôle ? C'est bien ça. Avec le soir les gendarmes se sont retirés dans leur poste, laissant le champ libre à la fureur des hommes et des garçons de Ropraz. Ils vont briser sa porte, ces durs, ils vont le rosser au bâton, lui casser les os et les dents, puis ils le traîneront dans la cour, ils lui planteront un pieu dans le cœur et ils le brûleront vif. Ou ils le ramèneront à Ropraz, un bûcher sera dressé à la chapelle et il grillera, lui, Favez, nu, hurlant, devant tout le village vengé.

Favez retourne à son lit, pose sa main sur le drap grossier. Du lin, le drap. Du solide. Machinalement le prisonnier se met à déchirer l'ourlet, il y met tant de force qu'il arrache une longue lanière, la toile cède en crissant. Une boucle, maintenant. Favez a peur. Il faut faire vite. La foule des émeutiers gronde, elle crie encore à la mort… Une très large boucle. Favez se met debout, passe la boucle autour de son cou, noue le bout de la boucle au barreau de la porte, puis il se jette en avant. Il entend son cou craquer, à ce moment il y a un bruit de clef, c'est le gardien qui apporte la soupe.

— Qu'est-ce que tu fais, Favez, nom de Dieu !

L'homme a bondi sur le prisonnier, il lui arrache le carcan de mort. Favez se redresse, l'œil vitreux s'éclaircit vite, Favez se masse la nuque, ne dit rien.

— Tu voulais mourir, Favez ? Tu ferais mieux de garder tes forces pour les interrogatoires et le procès. Tu en auras besoin. J'ai entendu ton fameux docteur, il y a un moment, dans ma loge, il parlait avec un des juges, ce ne sera pas avant l'hiver.

Favez mange sa soupe, son pain, rien ne troublera sa morne quiétude jusqu'à l'unique visite de son avocat d'office. Et à celle qu'obtiendra encore une fois la dame blanche, fin juillet, en soudoyant richement le gardien, l'enquête l'avérera aussi.

Visite de l'avocat d'office de Favez, mardi 21 juillet, dans la cellule d'Oron :

— Trois viols de tombes vous sont reprochés, dit tranquillement Maître Maillard, de l'étude Maillard, Vinet et Veillard, rue de

Bourg 12, à Lausanne. Le cimetière de Ropraz, celui de Carrouge, celui de Ferlens. Actes sexuels et vampirisation de trois jeunes mortes. Boucherie et charcutage. De toute façon, atteinte à la paix des morts. De bien grands crimes, monsieur Favez! Des trois, Ropraz est le plus grave, vous le savez bien, monsieur Favez, Rosa était la fille chérie du juge... et l'image reconnue de la pureté. Mais ces trois viols dont on vous accuse formellement, personne ne peut prouver que vous en êtes l'auteur. Donc taisez-vous. A l'audience, soyez muet. En bonne justice, le doute planera, ce sera tout bénéfice pour vous.

Maître Maillard jette un œil sur ses notes, fait une pause et reprend :

— Deux autres griefs sont avérés. Au Café du Nord, à Ferlens, une séries d'actes contre nature sur le bétail de M. Georges Pasche. A Mézières, le viol de madame veuve Dubois. Dans les deux cas la défense sera plus difficile, parce qu'aux yeux du tribunal, et dans l'esprit des jurés, ces faits confirment à l'évidence les viols des trois cimetières. Sexe, bestialité, cruauté, je vous rappelle que plusieurs génisses de M. Pasche ont eu le rectum perforé à l'aide d'un instrument coupant, ce qui n'arrange pas notre affaire. Vous me comprenez, monsieur Favez ? Et il faut ajouter ceci. Dans un pays de grogne et de rogne, vous êtes le coupable idéal. Règlements de comptes, haine du juge Gilliéron dont on immolera la fille... et c'est vous monsieur Favez, le providentiel bouc émissaire. Hélas il y a l'affaire de ces bêtes. Rectum percé, objet tranchant, membrane en sang, mauvaises suites, à l'évidence l'écho attendu au dépeçage des trois mortes...

L'avocat s'interrompt encore, comme accablé par sa tâche, puis il fixe Favez dans les yeux :

— Pour toutes ces raisons, Favez, taisez-vous. Laissez-moi distinguer les affaires de cimetière des deux autres cas, quand même moins exceptionnels dans un pays qui ne brille pas par la clarté de ses mœurs. D'un côté la veuve et les vaches. De l'autre la boucherie-coucherie tombale…

L'avocat se rengorge de son jeu de mots. Il sait qu'il le replacera en ville : la brute qui lui tient lieu de client est incapable de l'apprécier.

Ce que Maître Maillard ne dit pas assez, parce qu'il n'a pas pris la mesure du sauvage sentiment de culpabilité qui accable ces campagnes : loin de banaliser la cause Favez, les agissements sur les génisses et le viol de la veuve Dubois alourdissent son dossier, en rappelant trop de secrets honteux dans tous les villages à la ronde. De choses sales obscurément tues. D'alcool. De superstition. D'inceste. De vieilles et furtives fornications dans les étables et écuries. De cruauté répétée sur des animaux affolés. De meurtres latents. De vengeances qui couvent.

Il ne sait pas assez, Maître Maillard, le spirituel avocat citadin, les remords qui étranglent et paralysent sous la fraîcheur des

93

paysages et la robustesse des corps. Il ne connaît pas la folie opaque dans les têtes et dans les corps. La méchanceté sous l'idylle. Le désir de mort. La peur qui se tait et qui rôde.

— Laissez-moi parler au procès, Favez, je vous retournerai ces gens en deux coups de cuiller à pot. Je suis de votre côté, Favez. Restez confiant. Restez muet. Et moi je vous tirerai de cette histoire.

Là-dessus l'avocat regagne sa brillante étude rue de Bourg, deux associés, trois secrétaires, et un cours de privat-docent à la faculté de droit de l'Université de Lausanne.

# XIV

Le Dr Mahaim est revenu.

La mystérieuse dame blanche est revenue.

Du Dr Mahaim, un répit, une paix rusée et placide.

De la dame blanche, noué, stupéfait, l'effroyable regret de l'amour. Toute une vie, vingt et un ans, la longue enfance à la dure, l'âge d'homme trop tôt, la solitude du corps, toujours le désert du cœur. Comme une confirmation, un message sacré qu'elle lui donne : « Tu as *manqué*, Charles-Augustin. Maintenant tu es Favez, vampire pour l'éternité. » Il y a le sacrement du monstre, comme il y a, depuis deux mille ans, celui du prêtre à l'autel. *Sacerdos eris in aeternum. Vampyrus eris in aeternum.*

La dame s'approche à le toucher, elle prend dans sa bouche la bouche du vampire. «As-tu joué quand tu étais petit, Charles-Augustin? As-tu été sevré trop tôt? Les bêtes que leur mère n'a pas allaitées ne savent pas jouer. Tout de suite elles griffent pour blesser. Mordent pour tuer. Tu n'as jamais été petit enfant, Charles-Augustin. Tu étais un enfant-vampire. Un enfant tueur. Moi je t'aime, Charles-Augustin. »

La dame prend dans sa bouche la langue du vampire et la mordille doucement. La dame tremble

Est-ce la concentration du mal qui aimante la dame blanche? La violence tendue sous cette peau? Ou l'effroi de l'homme seul. Ou cette odeur de mort, de terre pleine de mort, de peau frottée à la mort, de sexe rougi au sang de la mort. Et toutes les victimes sont là, nouées, ouvertes, liées, mangées dans cet homme seul qui tremble de désir et de peur, debout devant le lit de sa cellule.

La dame prend dans sa bouche le sexe rougi au sang de la mort. La dame suce et avale le vampire à petites gorgées saccadées.

Toute une heure dure l'amour funèbre. Une heure que la dame paie vingt-cinq francs au gardien à la patte graissée. Cinq écus d'argent luisant à la marque fédérale. De quoi moins mal vivre trois mois.

Reviendra-t-elle? On ne sait pas. Le gardien ne dira plus rien. Il y a un goût fervent du sacrifice et du crime sexuel chez certains êtres. Beaucoup de femmes. La dame blanche était de celles-ci. Il est intéressant qu'elle reconstitue, dans la cellule de Favez, mais à l'envers, la scène horrible du viol des tombes. Au cimetière c'est le vampire qui consomme et dépèce ses victimes-femmes, dans la cellule c'est la femme qui boit le vampire et le réduit à merci. Rituel inversé, qui épaissit l'histoire de Favez dans l'étrange trouble en même temps qu'elle te fait nôtre, vampire de Ropraz, mon double, mon frère!

# XV

Le procès ne tourne pas bien pour Favez. Après cinq mois de préventive, l'homme s'est encore assombri et la colère n'a cessé de croître, réclamant sa tête, ou l'enfermement à vie. Dans l'intervalle on a découvert plusieurs drames, rouvert des dossiers oubliés, retrouvé la piste de crimes que l'on avait cru pouvoir classer. Des jeunes filles au vêtement arraché après le coucher du soleil, des agressions de nuit, des femmes seules jetées par terre à la croisée des chemins par un individu méconnaissable, ou plus rapide qu'une bête, impossible encore une fois de le reconnaître, maintenant on sait que c'est Favez. Le vampire Favez, Favez, encore Favez. A Ropraz, comme il n'avait aucun accès à la jeune enfant Jaunin, malgré de nombreuses tentatives d'escalade et d'enfoncement de portes, une vache a été saignée au pré Jaunin, ses boyaux mangés sur place. Déjà Favez. Encore Favez. A Corcelles une fille Porchet a été suivie le long d'une haie, elle a couru, échappé, de loin elle a reconnu Favez.

Le président la fait revenir.

— Comment, reconnu? Vous êtes sûre? Vous étiez trop loin pour le voir.

— Il riait comme les vampires. Vous croyez que je n'ai pas vu ses dents?

Le procès s'ouvre le 21 décembre 1903, au Tribunal d'Oron-la-Ville, sous l'autorité du président Charles Pasche.

Favez est assisté par Maître Maillard.

La salle est pleine. Tout le monde scrute le teint très pâle, les yeux rouges et les longues dents du prévenu.

«Il fait froid dans le dos», répètent et crient les premiers rangs.

La lecture de l'acte d'accusation soulève une telle fureur que le président menace d'interrompre cette première audience. Puis de faire évacuer la salle.

Dès le début Favez fait triste impression, ricane, se tait, ou pressé de répondre par le président, s'exprime par bribes et borborygmes. « On ne fait pas plus animal », dénonce la *Revue de Lausanne*, dont le compte rendu est sévère. Voici ce qu'elle écrit dans son édition du 22 décembre :

> On espère que les débats seront conduits avec assez de décision pour hâter le jugement. La culpabilité de Favez ne faisant aucun doute, tout porte à croire que le procès sera clos avant la fin de l'année.

Des lignes qui donnent le ton. Quatre séances. Dates et fréquence des assises :

Lundi 21 décembre : deux séances, le matin et l'après-midi. Lecture de l'acte d'accusation, premiers témoignages (déposition de six témoins).

Mardi 22 décembre : deux séances, le matin et l'après-midi. Suite des témoignages (onze témoins), dès quatorze heures déposition du Dr Mahaim.

Mercredi 23 décembre : réquisitoire. Plaidoirie de Maître Maillard. Concertation avec le jury.

Jeudi 24 décembre : jugement.

Le 24 décembre à onze heures trente du matin, Charles-Augustin Favez, originaire de Palézieux, né à Syens le 2 novembre 1882, est condamné à la réclusion à vie par le tribunal d'Oron-la-Ville, pour tous les faits qui lui sont reprochés à l'exclusion d'aucun d'entre eux et d'aucune circonstance atténuante. Attendu l'extrême horreur des actes principaux dont s'est rendu coupable ledit Favez, vampirisme et viol de tombes, la peine est assortie de vingt années incompressibles de sûreté pénitentiaire.

L'assistance trépigne.

## Le vampire de Ropraz

Le Dr Mahaim se précipite au cabinet du président Pasche à l'abri des regards de la foule, et obtient du juge et de son jury que la peine de Favez, eu égard au caractère éminemment psychotique des délits, donc scientifiquement intéressant pour les médecins et étudiants du tout nouvel établissement de Cery, soit commuée en enfermement à perpétuité audit établissement psychiatrique. Ainsi est ordonné par le Tribunal, que le condamné soit conduit sous bonne escorte dans une cellule de l'Hôpital de Cery, commune de Prilly, à l'ouest de Lausanne, aux fins de servir à l'étude des maladies mentales par les docteurs et étudiants en médecine du canton.

Le 24 décembre au soir il neige, il fait grand froid, Favez passe sa première nuit à Cery, dans sa cellule aux parois sévèrement capitonnées.

Le 25 décembre, deux infirmières à coiffe bleue viennent le chercher dans sa cellule pour l'associer à la fête de Noël des malades et du personnel, on allume les bougies du grand sapin et Favez, les fous, les infirmières, les médecins, chantent la naissance du Christ, boivent du vin chaud et mangent des petits gâteaux préparés aux cuisines par les bénévoles.

# XVI

A Cery, Favez restera douze ans. Trois ans de cellule, puis sa conduite et sa stature athlétique lui valent d'être affecté à la ferme modèle de l'hôpital. Il y travaille comme porcher, puis comme vacher, neuf autres années de son histoire.

En février 1915 Favez s'évade, passe la frontière dans les forêts de Vallorbe, gagne la France en guerre et s'engage comme volontaire étranger dans l'armée française. Au bout de trois semaines il est versé dans la Légion. L'enquête des autorités fédérales a permis d'établir que le volontaire de première classe Charles-Augustin Favez est incorporé au bataillon de la Légion étrangère comme

fantassin dans le groupe de combat com-
mandé par le caporal suisse Frédéric Sauser,
qui a écrit quelques poèmes sous le nom de
Blaise Cendrars. Lequel Cendrars lui réserve
bon accueil et lui arrache certaines confi-
dences, malgré la méfiance de Favez, pour un
livre qu'il veut écrire un jour ou l'autre sur
un fou éventreur de jeunes filles. Il en
connaît même déjà le titre : *Moravagine*. Viol
de jeunes corps, Favez, viol de tombes ?
Aucun jugement. La Légion et la guerre effa-
cent tout. Cendrars, Favez et leurs compa-
gnons sont précipités dans la brèche du front
Nord, de la Marne à la Somme, ils se bat-
tent dans la boue à Notre-Dame-de-Lorette,
à Vimy, au Bois de la Vache, et remontent
toujours vers le Nord, direction Cham-
pagne-Pouilleuse. Le 28 septembre 1915, à
dix-neuf heures trente, le long de la route de
Souain, à deux cents mètres de la ferme
Navarin, après plusieurs attaques violemment repoussées, le groupe de combat du
caporal Sauser-Cendrars et de Favez se lance

une nouvelle fois à l'assaut de la tranchée allemande dite la Kultur. Il pleut, il fait de la boue, la section Cendrars-Favez tombe sous le feu ennemi. Blaise Cendrars a l'avant-bras droit déchiqueté, il est évacué à l'arrière et amputé. Dans le même combat Favez est tué, son corps abandonné sur le champ de bataille, on perd définitivement sa trace.

Jusqu'au jour du tirage au sort du soldat inconnu, le 21 novembre 1920, parmi huit cercueils parvenus au Fort de Douaumont de toutes les régions combattantes. Les restes d'un unique héros anonyme sur quoi brûlera la flamme qui ne s'éteint pas, sous le glorieux Arc de triomphe.

Or, et c'est là que nous nous rejoignons, de récentes recherches ont laissé supposer que les restes du soldat inconnu, interprétés par l'analyse de leur ADN, appartiendraient au citoyen vaudois Charles-Augustin Favez, engagé volontaire dans l'armée française en guerre en février 1915. Tué devant la ferme Navarin le 28 septembre de la même année.

*Le vampire de Ropraz*

Et que le soldat inconnu, héroïquement honoré par le chef de l'Etat, la sonnerie aux morts et le salut au drapeau chaque 14 Juillet que Dieu fait, ne serait autre qu'un fou et un effrayant repris de justice d'origine suisse, et de grave mémoire dans la geste hallucinée des morts-vivants. Bien entendu les ministères concernés ont fait main basse sur les résultats de ces analyses et le scandale a été étouffé. Ainsi sommes-nous peu nombreux à nous en douter : au glorieux Arc de triomphe, sous la flamme du soldat inconnu repose Favez, le vampire de Ropraz, qui dort d'un œil en attendant de nouvelles nuits où courir.

*Œuvres de Jacques Chessex (suite)*

*Chez d'autres éditeurs*

LA TÊTE OUVERTE, Gallimard, 1962.
CHARLES-ALBERT CINGRIA, Seghers, 1967.
ENTRETIENS AVEC JÉRÔME GARCIN, La Différence, 1979.
LA MUERTE Y LA NADA, avec Antonio Saura, Pierre Canova, 1990.
L'IMPARFAIT, Campiche, 1996.
BAZAINE, Skira, 1996.
LA CONFESSION DU PASTEUR BURG, Bourgois, 1997.
POÉSIE, I, II, III, Campiche, 1997.
FIGURES DE LA MÉTAMORPHOSE, La Bibliothèque des arts, 1999.
LE DERNIER DES MONSTRES (Saura), Cuadernos del Hocinoco, 2000.
NOTES SUR SAURA, Cuadernos del Hocinoco, 2001.
DE L'ENCRE ET DU PAPIER, préface d'Yves Berger, La Bibliothèque des arts, 2001.
UNE CHOUETTE VUE À L'AUBE, avec Pietro Sarto, Chabloz, 2001.
TRANSCENDANCE ET TRANSGRESSION, La Bibliothèque des arts, 2002.
LES DANGERS DE JEAN LECOULTRE, Cuadernos del Hocinoco, 2002.
PIETRO SARTO, Chabloz, 2003.
L'ADORATION, avec Pietro Sarto, Chabloz, 2003.
DOUZE POÈMES POUR UN COCHON, avec Jean Lecoultre, Chabloz, 2003.
THOMAS FOUGEROL, Operae, 2004.
JAVIER PAGOLA, Cuadernos del Hocinoco, 2004.
PORTRAIT DES VAUDOIS, L'Aire bleue, 2004.
ECRITS SUR RAMUZ, L'Aire bleue, 2005.
CE QUE JE DOIS À FRIBOURG, Bibliothèque Cantonale et Universitaire, Fribourg, 2005.

*Achevé d'imprimer sur les presses de*

**BUSSIÈRE**

GROUPE CPI

*à  Saint-Amand-Montrond  (Cher)*
*en mars 2007*
*pour le compte des Éditions Grasset,*
*61, rue des Saints-Pères, 75006 Paris.*

Mise en pages : Bussière

N° d'édition : 14795. — N° d'impression : 070908/1.
Première édition, dépôt légal : janvier 2007.
Nouveau tirage, dépôt légal : mars 2007.

*Imprimé en France*